La princesse Pommeline

À nos parents...

Catalogage avant publication de la Bibliothèque nationale du Canada

Boulanger, Annie, 1975-

La princesse Pommeline

(Le raton laveur)
Pour enfants de 3 à 8 ans.

ISBN 2-920660-92-6

I. Boulanger, Fabrice. II. Titre. III. Collection: Raton laveur (Mont-Royal, Québec).

PS8553.O837P74 2003 jC843'.6 C2003-940145-6
PS9553.O837P74 2003
PZ23.B68Pr 2003

Nous reconnaissons l'aide financière du gouvernement du Canada par l'entremise du Programme d'aide au développement de l'industrie de l'édition (PADIÉ) pour nos activités d'édition.

Conseil des Arts du Canada Canada Council for the Arts

Éditions Banjo remercie le Conseil des Arts du Canada du soutien accordé à son programme d'édition dans le cadre du programme des subventions globales aux éditeurs.

Cet ouvrage a été publié avec le soutien de la SODEC.

Gouvernement du Québec - Programme de crédit d'impôt pour l'édition de livres - Gestion SODEC.

Dépôt légal - Bibliothèque nationale du Québec, 2003
Bibliothèque nationale du Canada, 2003
ISBN 2-920660-**92**-6

233, av. Dunbar, bureau 300
Mont-Royal (Québec)
Canada H3P 2H4
Téléphone: (514) 738-9818 / 1-888-738-9818
Télécopieur: (514) 738-5838 / 1-888-273-5247

Imprimé au Canada

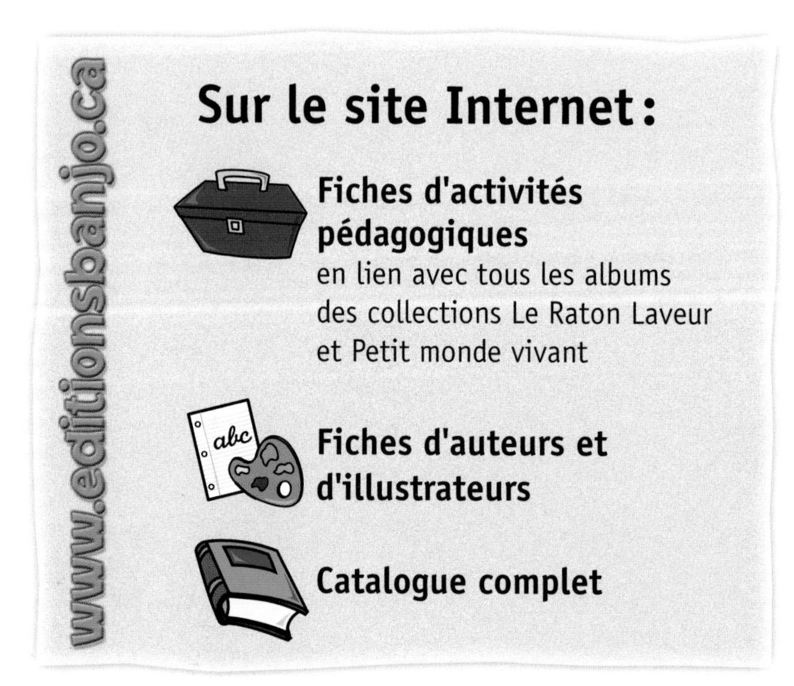

La princesse Pommeline

Auteure :
Annie Boulanger

Illustrateur :
Fabrice Boulanger

Le Raton Laveur

Tu veux que je te dise un secret? Voici: les princesses ne vivaient pas seulement dans les temps anciens. Les princesses existent encore. La preuve?

Eh bien, moi, je suis une princesse! La princesse Pommeline. Évidemment, au premier coup d'œil, on ne voit pas que je suis une princesse. Je porte une salopette. Je suis une princesse à la mode d'aujourd'hui.

Les princesses des temps anciens avaient des robes longues et des dentelles. C'est normal, c'était la mode de leur époque. Elles portaient une couronne, aussi, pour qu'on les distingue des filles ordinaires.

Aujourd'hui, les princesses vont à l'école et s'habillent comme toutes les petites filles.
On les reconnaît à cause d'un collier spécial qu'elles portent autour de leur cou.
Un collier comme le mien.

Mon collier est très très ancien. Il appartenait à la mère de la mère de ma mère, qui était aussi une princesse. Ce collier l'a dirigée à travers le désert jusqu'au château de son prince.

Elle a marché pendant des jours et des jours avant d'arriver, tout heureuse, chez son amoureux.

Aujourd'hui, c'est différent. Les princesses ne doivent plus faire de si longs voyages.
Les moyens de transport modernes peuvent aller très vite jusqu'au bout du monde.
Mais, pour les princesses, il y a un nouveau problème...

C'est que la terre a changé. Il y a tellement de routes et de villes qu'il est impossible de trouver le chemin de l'amour, même avec mon collier de princesse. Mon prince habite très loin, et je ne trouve pas le chemin jusqu'à son château.

Il habite peut-être près de chez toi. Voudrais-tu m'aider?

J'ai rêvé qu'il habitait au sommet d'une montagne. Mais tout est si flou dans un rêve... Comment savoir si la montagne est vraiment haute? Je me suis peut-être trompée. Mon prince habite peut-être sur une butte de sable. Fais-moi plaisir...

Si autour de chez toi tu vois une montagne, même très petite, même si c'est de la terre de jardin, voudrais-tu vérifier si tu vois le château de mon prince au sommet?

Dans ma classe, il y a une princesse qui est née dans le royaume de mon prince. Elle m'a rapporté un coquillage. Dedans, j'ai entendu des vagues. Mon prince habite probablement près de l'océan. Mais le coquillage est un peu cassé. L'eau que j'entends clapoter, c'est peut-être seulement un petit ruisseau…

Alors s'il y a de l'eau près de chez toi, comme un étang avec des grenouilles, j'aimerais que tu regardes sur le rivage. N'aperçois-tu pas un château?

Mon voisin est un vieux monsieur à la retraite. Avant, il était le chevalier exclusif de mon prince. Il a voulu m'expliquer le chemin, mais comme il est aveugle, il n'a jamais vu le pays de mon prince. La seule chose qu'il peut dire c'est que, près du château, il fait très chaud.

Alors si tu habites dans un pays tropical, mon prince habite sûrement près de chez toi. Regarde bien… Mais, j'y pense! L'aveugle était peut-être dans un pays froid, dans un château bien chauffé. Alors si tu habites dans un pays où il neige, regarde bien quand même.

Oui, je sais, ce n'est peut-être pas un gros château en pierre. Ils sont rares de nos jours. Mon prince vit peut-être dans une petite maison. Ce sera difficile de la trouver, si elle ressemble à toutes les maisons, n'est-ce pas?

J'aimerais que tout le monde cherche avec moi. Alors peux-tu aller chez ton voisin, même s'il habite un petit château ordinaire, et lui demander s'il connaît mon prince?

Aussi, si tu vois un prince dans la rue, essaie de savoir si c'est lui qui cherche la princesse Pommeline. Mais attention! Les princes d'aujourd'hui n'ont plus d'habits en velours ni de grands chapeaux à plumes. La seule façon de reconnaître mon prince, c'est d'apercevoir son collier autour de son cou.

Évidemment, son collier ne fonctionne pas plus que le mien. C'est pour cela que nous sommes séparés. Si tu le trouves, viens vite avertir la princesse Pommeline, qui est malheureuse sans son prince.

Ah oui! Tu as raison! Il faudra aussi que tu trouves le chemin pour venir chez moi… C'est une autre histoire… Aaahh!!!! J'aurais bien voulu être une princesse des temps anciens après tout!

À très bientôt,
Pommeline